Isaac Asimov

y a-t-il
de la vie
sur les autres
planètes?

texte français de Robert Giraud

bibliothèque de l'univers

Père Castor
Flammarion

Sommaire

Copyright texte © 1989 Nightfall, Inc.
Copyright finitions © 1989 Gareth Stevens, Inc.
Copyright format © 1989 Gareth Stevens, Inc.

Titre original : *Is There Life on Other Planets ?*
© 1990 Père Castor-Flammarion
pour la traduction française et la mise en pages

Loi n° 49-956 du 16 juillet 1949 sur les publications destinées à la jeunesse

Introduction

Les hommes, à notre époque, ont vu
les planètes en gros plan. Un engin a atteint
tout récemment la si lointaine Neptune.
Nous avons dressé la carte de Vénus malgré sa
couverture de nuages, aperçu des volcans
éteints sur Mars et d'autres en activité sur Io,
l'un des satellites de Jupiter.
Nous avons repéré des objets aussi
déconcertants que les pulsars, les quasars
et les trous noirs. Nous avons appris des choses
stupéfiantes sur la façon dont l'Univers a pu
se former et dont il peut finir un jour.
C'est une aventure exaltante.
Mais il nous reste une découverte à faire, et
combien importante : celle de la vie. Car
personne ne peut nous dire jusqu'à présent si
les vivants terrestres sont les seuls de l'Univers,
ou si, au contraire, la vie s'est développée sur
d'autres mondes et à diverses reprises.
C'est là une question qui peut difficilement
nous laisser indifférents.

Aux origines
de la vie terrestre

Il y a plus de trois milliards d'années,
la vie a fait son apparition sur la jeune Terre
sous forme de cellules qui préfiguraient
les bactéries actuelles. Ces cellules étaient faites
d'atomes d'éléments tout à fait ordinaires :
carbone, hydrogène, oxygène, azote et soufre.
Ces atomes se sont d'abord associés en
compositions très simples. Mais la lumière du
Soleil ne cessait de déverser son énergie,
cette énergie forçait les atomes à s'associer en
des combinaisons de plus en plus complexes,
et c'est ainsi que des cellules rudimentaires
ont fini par apparaître.
Les savants pensent que, sur toute planète
du type de la Terre, comprenant les mêmes
corps chimiques et ayant la même température,
la vie démarrerait sans doute de la même façon
que sur la Terre. Mais existe-t-il beaucoup
de planètes de cette sorte ? Le télescope spatial
Hubble, lancé en avril 1990, et les nouveaux
télescopes terrestres actuellement
en projet nous aideront peut-être bientôt
à le savoir.

4

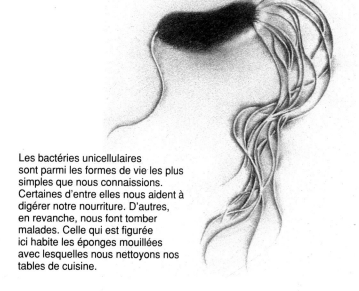

Les bactéries unicellulaires
sont parmi les formes de vie les plus
simples que nous connaissions.
Certaines d'entre elles nous aident à
digérer notre nourriture. D'autres,
en revanche, nous font tomber
malades. Celle qui est figurée
ici habite les éponges mouillées
avec lesquelles nous nettoyons nos
tables de cuisine.

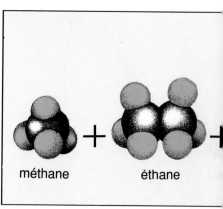

méthane   éthane

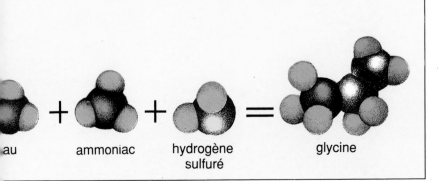

au   ammoniac   hydrogène
sulfuré   glycine

▲ A la surface de la jeune Terre, les
creux se remplissaient d'eau, donnant
naissance aux océans. De grosses
météorites continuaient à s'abattre sur le
sol. Telles étaient les conditions
qui ont présidé à l'éclosion de la vie !

◄ Le «jeu de construction» de la vie.
Quand toutes ces substances, flottant
dans l'eau, sont soumises au flux
important d'énergie véhiculé par la
lumière visible et l'ultraviolet, elles se
combinent pour former de la glycine
(ne pas confondre avec le nom
d'une plante courante dans nos jardins),
l'une des principales «briques» qui
servent à bâtir les êtres vivants.

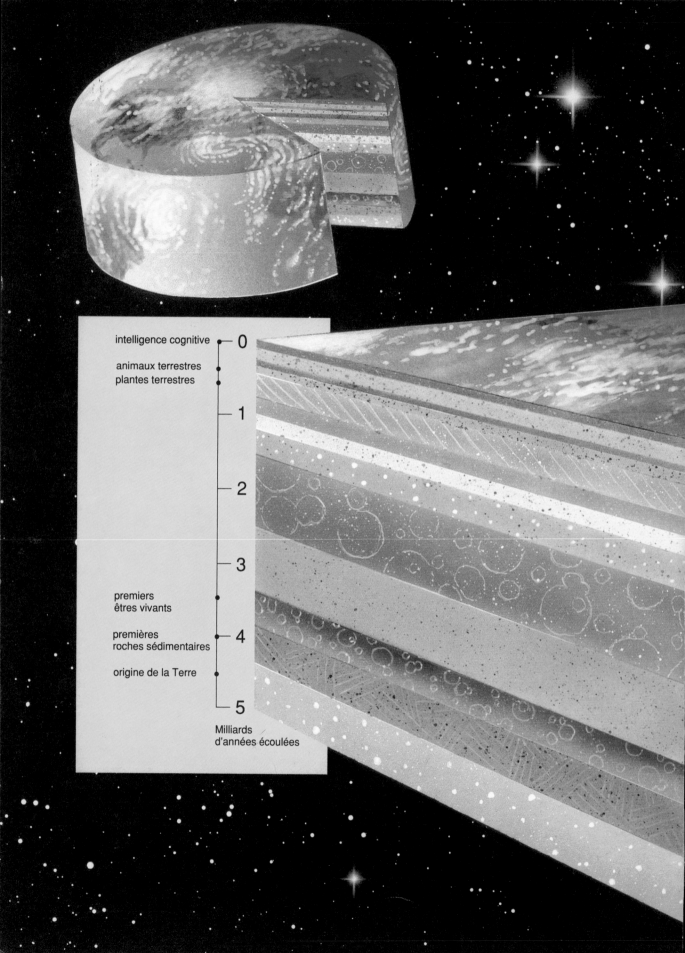

intelligence cognitive — 0

animaux terrestres
plantes terrestres

— 1

— 2

— 3

premiers
êtres vivants

premières
roches sédimentaires — 4

origine de la Terre

— 5

Milliards
d'années écoulées

L'irruption
de l'intelligence

Pendant plus d'un milliard d'années,
la vie n'a été représentée sur notre globe que
par des cellules isolées, ou unicellulaires. Puis
des cellules plus élaborées sont apparues, qui
ont fini par se grouper en organismes de plus
en plus importants. Plus un organisme est
complexe, plus son cerveau est gros et plus
son niveau d'intellect est élevé.
Il y a seulement quelques millions d'années
que les ancêtres de l'homme ont commencé à
accéder à notre forme d'intelligence,
à la pensée. On voit par là que, si la vie
apparaît relativement facilement, l'éclosion de
l'intelligence est loin d'être aisée.

◀ Une tranche de l'histoire de la Terre,
avec les principaux événements qui l'ont
jalonnée.

▼ En faisant jaillir une étincelle dans un
mélange de gaz normalement présents
dans l'atmosphère terrestre,
on obtient un goudron brun, qui est un
amalgame de molécules complexes.

▼ Schéma d'un essai de synthèse de vie.
Les premières expériences de cette
sorte furent tentées dans les années 50.
Elles permettent de se rendre compte
qu'à partir de gaz simples
(case supérieure gauche) dans lesquels
passent des étincelles électriques
(case supérieure droite), on peut obtenir
certains composés organiques
nécessaires à la vie sur Terre.

Les Terriens à l'affût

Il est évident, de nos jours, qu'il n'y a pas de vie pensante sur les autres planètes de notre système solaire. Mais pourquoi n'en existerait-il pas sur les planètes de systèmes solaires éloignés? Seulement, de quels moyens disposons-nous pour la découvrir ? Pas question de nous rendre sur place, et peu de chances, sans doute, de voir débarquer des visiteurs venus de là-bas. Par contre, nos collègues en intelligence ont peut-être la possibilité de nous envoyer des messages radio grâce aux ondes électromagnétiques.

Une telle communication exigerait du temps. Des messages provenant de l'étoile la plus proche de nous mettraient déjà près de 4 ans et 4 mois à nous parvenir. Et 70 000 ans dans le cas où ils seraient émis de l'autre bout de la Galaxie ! Par ailleurs, saurions-nous les déchiffrer ? Malgré toutes ces difficultés, les scientifiques ont lancé un programme de détection de messages cosmiques. C'est le programme SETI (initiales des mots anglais «Search for Extraterrestrial Intelligence», qui signifient «recherche d'une intelligence extraterrestre»).

?

● **Polémiques
sur l'origine des composants
de la matière vivante**

Comment sont apparues sur Terre les substances chimiques dont a besoin la vie ? Pendant toute une période, les scientifiques ont pensé que c'étaient l'énergie solaire, ou celle de la foudre, qui avaient provoqué la synthèse de ces substances. Depuis lors, on a trouvé un grand nombre d'entre elles sur des objets spatiaux, tels que météoroïdes et comètes. Est-ce alors la chute d'un de ces objets sur notre globe qui a amorcé le processus de la vie, en apportant les matériaux indispensables à son éclosion ?

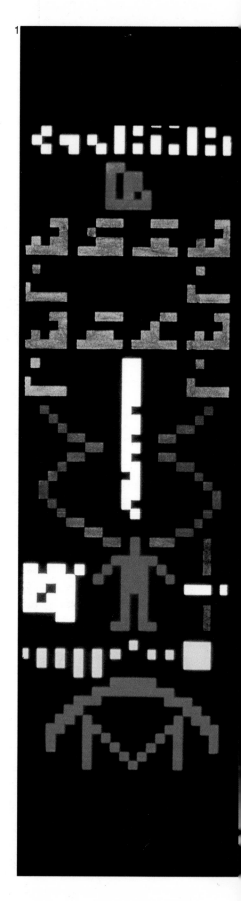

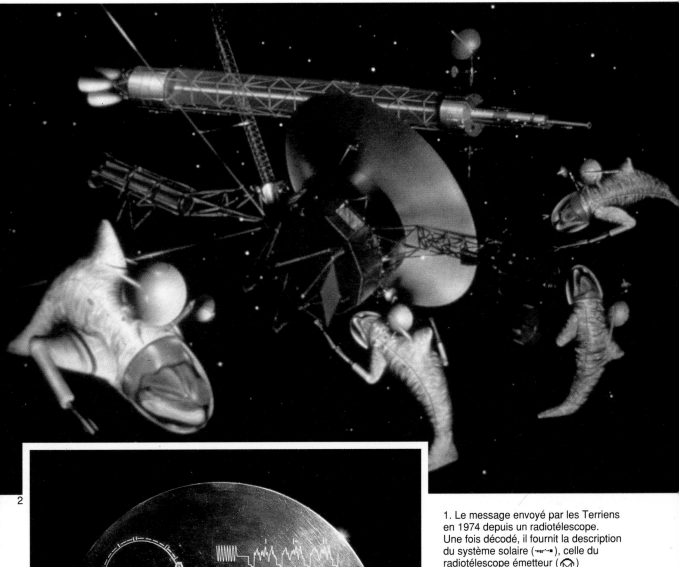

2

3

1. Le message envoyé par les Terriens en 1974 depuis un radiotélescope. Une fois décodé, il fournit la description du système solaire (▬▬•▪), celle du radiotélescope émetteur (⌂) et l'aspect des êtres humains (⚦).

2. Dans un avenir lointain, à d'énormes distances de notre confortable système solaire, des êtres à l'apparence de dauphins examinent une des sondes Voyager.

3. Les sondes Voyager avaient à leur bord un enregistrement de musique et de voix humaines, ainsi que des vues de notre planète. La pochette du disque indiquait son mode d'emploi et sa provenance.

▲ Un artiste a essayé de représenter l'aspect qu'avait la Lune selon certaines conceptions. Au cours de la grande mystification lunaire de 1835, le *Sun*, journal de New York, avait annoncé la découverte sur la Lune de formes variées de vie.

▶ L'astronome Percival Lowell a réalisé ce globe de Mars en 1901. On y voit les fameuses lignes considérées à tort comme des canaux.

Interrogations et spéculations

Depuis des centaines d'années déjà, les astronomes se passionnent pour l'idée de la présence de la vie sur d'autres planètes. C'est au début du XVIIe siècle, en effet, qu'ils se sont rendu compte que, tout comme la Terre, la Lune et les planètes étaient des mondes, et pas de simples lumignons. Et ils en sont venus naturellement à se demander si ces mondes ne seraient pas, eux aussi, habités.

En 1835, on pouvait encore lire dans un journal new-yorkais des articles relatant la découverte de la vie sur la Lune. En fait, il s'agissait d'une mystification, destinée à abuser de la crédulité des contemporains, car il n'y a sur la Lune ni air, ni eau, et donc aucune vie.

Une quarantaine d'années plus tard, des astronomes aperçurent sur Mars des lignes qu'ils prirent pour des canaux creusés par des êtres civilisés. Mais c'était une erreur d'interprétation, car il y a sur Mars trop peu d'air et d'eau pour qu'y émergent des formes complexes de vie.

11

? Mars a-t-elle autrefois abrité de la vie ?

Certains s'imaginaient ainsi les habitants de la Lune !

Les sondes Viking qui se sont posées sur Mars n'y ont pas décelé de traces de vie, et l'eau qu'elles y ont trouvé était à l'état de glace. On discerne néanmoins à la surface de cette planète des accidents de terrain très semblables à des lits de rivières asséchés. Qui sait si, à certaines périodes, il n'a pas fait plus chaud sur Mars qu'aujourd'hui, ce qui aurait permis la formation de cours d'eau et de mers ? En pareil cas, la vie aurait pu se développer. On ne peut pas exclure non plus que subsistent jusqu'à aujourd'hui des formes élémentaires de vie qui auraient échappé aux sondes. Les nouveaux engins, certains peut-être habités, qui seront envoyés ultérieurement vers Mars, nous aideront à répondre à cette question.

Les extraterrestres dans les livres et les revues

C'est dans les années 20 et 30 de ce siècle que les premières revues de science-fiction firent leur apparition. Cherchant avant tout à provoquer chez leurs lecteurs des sensations fortes, les auteurs de ces textes représentaient toutes les autres planètes grouillantes de vie. Leurs habitants avaient en général un aspect repoussant, et ils ne rêvaient que de conquérir la Terre. Dès 1898, H.G. Wells écrivit un roman qui décrivait une invasion de la Terre. Il eut par la suite bien des imitateurs. Toutes ces histoires sont captivantes, mais purement imaginaires. Si la vie est possible sur des planètes qui ressemblent à la Terre, aucune de nos voisines du système solaire ne remplit les conditions nécessaires.

● Vénus et la Terre auraient-elles été des jumelles ?

Vénus est d'une taille analogue à celle de la Terre, et elle est constituée des mêmes types de roches. Au début, les deux planètes ont dû passer par des phases similaires, et posséder l'une et l'autre de vastes étendues d'eau. Puis, avec le temps, Vénus s'est transformée en un désert brûlant, impropre à la vie. Certes, elle est plus proche du Soleil, mais les savants ne croient pas que cela suffise à expliquer la divergence des évolutions. Nous ne savons donc pas ce qui est à l'origine de la différence entre les deux voisines. Pourtant, cela pourrait nous être utile un jour pour éviter à la Terre de connaître un sort semblable.

1. Vénus, au début, a peut-être suivi la même évolution que la Terre ?

2 et 3. Reconnaissez-vous ces personnages ? Cette image montre bien que nous sommes incapables de nous figurer des formes de vie fondamentalement différentes de celles que nous connaissons sur Terre.

Qu'est-ce qui nous prouve, par exemple, que les habitants d'autres régions de l'espace doivent avoir deux bras et deux jambes ?

4. Dans *La Guerre des Mondes*, H.G. Wells a agité l'épouvantail d'une invasion de la Terre par des êtres terrifiants venus de Mars.

3

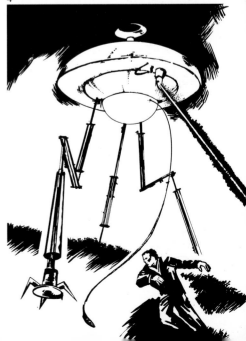

4

2

Des hypothèses aux certitudes

Il y a tout au plus quelques dizaines d'années, les savants ne pouvaient étudier que de loin les autres mondes du système solaire.
En raisonnant sur les informations ainsi recueillies ils concluaient que ces mondes étaient trop froids ou trop chauds, trop grands ou trop petits pour que la vie s'y développe. Mais voici déjà une trentaine d'années que les chercheurs envoient des sondes dans l'espace pour prendre des photos des autres planètes et préciser les conditions qui y règnent.
Ce sont les sondes qui nous ont appris que Vénus était bouillante. Que Mars, au lieu d'avoir des canaux, présentait une surface désertique. Les hommes qui ont débarqué sur la Lune, les engins automatiques qui se sont posés sur Mars et Vénus n'ont relevé aucune trace de vie, même primitive.
Nous pouvons être en tout cas certains qu'il n'y existe pas de civilisations.

? De la vie dans les nuages de Jupiter ?

Jupiter n'est pratiquement formée que de gaz. Principalement d'hydrogène et d'hélium, avec un peu d'ammoniac, de méthane, d'eau et différents composés carbonés. Les couches extérieures de la gigantesque atmosphère de la plus grosse des planètes sont très froides. Mais, à mesure que l'on descend, la température s'élève rapidement jusqu'à atteindre plusieurs milliers de degrés. A un niveau intermédiaire, il règne une chaleur agréable. Certaines formes de vie ne pourraient-elles pas exister à ce niveau ? Nous les découvrirons peut-être un jour.

1. La surface de Mars vue depuis le module d'atterrissage de Viking.

2. Un artiste a représenté ainsi une vie végétale sur Mars.

3. Une plante africaine remarquablement bien adaptée aux dures conditions du désert.

La vie en dehors du système solaire : l'état de la question

En quelques dizaines d'années, nos connaissances sur le système solaire ont prodigieusement progressé. Nous avons élucidé la topographie de Vénus malgré ses nuages, et nous savons qu'il y fait assez chaud pour fondre du plomb. L'atmosphère de cette planète, constituée presque uniquement de gaz carbonique, est presque 90 fois plus dense que

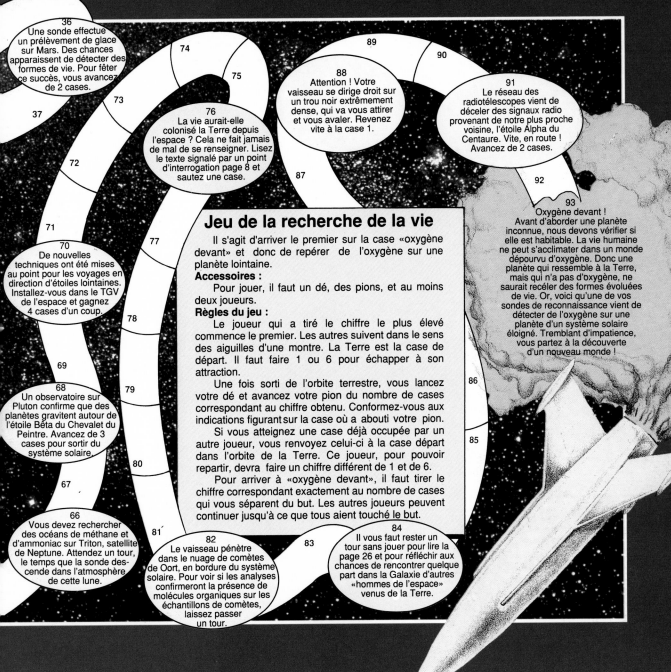

35

36
Une sonde effectue un prélèvement de glace sur Mars. Des chances apparaissent de détecter des formes de vie. Pour fêter ce succès, vous avancez de 2 cases.

37

74

75

73

72

76
La vie aurait-elle colonisé la Terre depuis l'espace ? Cela ne fait jamais de mal de se renseigner. Lisez le texte signalé par un point d'interrogation page 8 et sautez une case.

89

90

88
Attention ! Votre vaisseau se dirige droit sur un trou noir extrêmement dense, qui va vous attirer et vous avaler. Revenez vite à la case 1.

87

91
Le réseau des radiotélescopes vient de déceler des signaux radio provenant de notre plus proche voisine, l'étoile Alpha du Centaure. Vite, en route ! Avancez de 2 cases.

92

93
Oxygène devant ! Avant d'aborder une planète inconnue, nous devons vérifier si elle est habitable. La vie humaine ne peut s'acclimater dans un monde dépourvu d'oxygène. Donc une planète qui ressemble à la Terre, mais qui n'a pas d'oxygène, ne saurait recéler des formes évoluées de vie. Or, voici qu'une de vos sondes de reconnaissance vient de détecter de l'oxygène sur une planète d'un système solaire éloigné. Tremblant d'impatience, vous partez à la découverte d'un nouveau monde !

71

77

70
De nouvelles techniques ont été mises au point pour les voyages en direction d'étoiles lointaines. Installez-vous dans le TGV de l'espace et gagnez 4 cases d'un coup.

78

69

79

68
Un observatoire sur Pluton confirme que des planètes gravitent autour de l'étoile Bêta du Chevalet du Peintre. Avancez de 3 cases pour sortir du système solaire.

80

67

66
Vous devez rechercher des océans de méthane et d'ammoniac sur Triton, satellite de Neptune. Attendez un tour, le temps que la sonde descende dans l'atmosphère de cette lune.

81

82
Le vaisseau pénètre dans le nuage de comètes de Oort, en bordure du système solaire. Pour voir si les analyses confirmeront la présence de molécules organiques sur les échantillons de comètes, laissez passer un tour.

83

84
Il vous faut rester un tour sans jouer pour lire la page 26 et pour réfléchir aux chances de rencontrer quelque part dans la Galaxie d'autres «hommes de l'espace» venus de la Terre.

85

86

Jeu de la recherche de la vie

Il s'agit d'arriver le premier sur la case «oxygène devant» et donc de repérer de l'oxygène sur une planète lointaine.

Accessoires :

Pour jouer, il faut un dé, des pions, et au moins deux joueurs.

Règles du jeu :

Le joueur qui a tiré le chiffre le plus élevé commence le premier. Les autres suivent dans le sens des aiguilles d'une montre. La Terre est la case de départ. Il faut faire 1 ou 6 pour échapper à son attraction.

Une fois sorti de l'orbite terrestre, vous lancez votre dé et avancez votre pion du nombre de cases correspondant au chiffre obtenu. Conformez-vous aux indications figurant sur la case où a abouti votre pion.

Si vous atteignez une case déjà occupée par un autre joueur, vous renvoyez celui-ci à la case départ dans l'orbite de la Terre. Ce joueur, pour pouvoir repartir, devra faire un chiffre différent de 1 et de 6.

Pour arriver à «oxygène devant», il faut tirer le chiffre correspondant exactement au nombre de cases qui vous séparent du but. Les autres joueurs peuvent continuer jusqu'à ce que tous aient touché le but.

la nôtre. Ses nuages contiennent de l'acide sulfurique au terrible pouvoir destructeur. Mars, elle, a une atmosphère diaphane, cent fois moins dense que celle de la Terre, et le froid qui règne à sa surface est souvent plus rude que dans l'Antarctique. Jupiter est une énorme boule d'hydrogène, d'hélium et de quelques autres gaz. Même chose pour les autres planètes géantes. Leurs satellites, eux, semblent faits de roches et de glace. Voilà les faits dont nous disposons. Ils nous permettent d'affirmer que seule la Terre convient pour notre forme de vie.

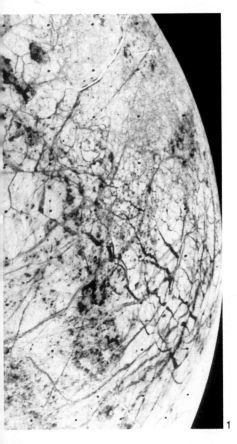

Reste-t-il un espoir ?

Il faut bien admettre que les autres mondes
du système solaire ne peuvent abriter
une vie analogue à la nôtre. Cela veut-il dire
qu'aucune n'y est possible ?
Une des lunes de Jupiter, Europe, est
entièrement recouverte d'une carapace de
glace. Et si cette carapace dissimulait un vaste
océan ? On pourrait peut-être y trouver des
formes de vie complètement différentes
des nôtres.
Titan, satellite de Saturne, est doté d'une
épaisse atmosphère, ce qui est peut-être le cas
également de Triton qui accompagne, lui,
Neptune. Sous ces atmosphères s'étendent
peut-être des océans de méthane ou
d'ammoniac, avec, dans leurs profondeurs, des
vivants inconnus ? L'occasion se présentera
sans doute un jour d'y aller voir.

◄◄ Vue par un artiste, la vie dans
un océan situé sous la surface glacée
d'Europe, satellite de Jupiter.

1. La glace lisse qui enveloppe toute la
surface d'Europe.

2. Une nouvelle forme de vie découverte
par les savants : des vers à corps creux
trouvés au voisinage de volcans
sous-marins.

L'Univers est si vaste

Il n'y a pas que le système solaire,
dans l'Univers ! Notre Voie lactée et les autres
galaxies comptent d'énormes quantités d'étoiles,
et des planètes doivent graviter autour d'une
bonne partie de ces étoiles.
Dans la seule Voie lactée, on dénombre
autour de 200 milliards d'étoiles, et il y a sans
doute au moins 100 milliards d'autres galaxies.
A supposer qu'une étoile sur cent ressemble
au Soleil et que, sur cent étoiles semblables au
Soleil, une seulement ait des planètes
du type de la Terre, cela nous donnerait quand
même des milliards de milliards de planètes
rappelant la nôtre. De la vie a pu se développer
sur chacune de ces planètes et, dans
quelques cas, accéder à l'intelligence. Certaines
civilisations sont peut-être plus avancées que
la nôtre. Mais comment le vérifier ?

◀ L'Univers, avec ses milliards de
galaxies. Dans l'encadré, très agrandie,
notre galaxie et ses 200 milliards
d'étoiles. Le Soleil en est une.

▼ Dans le cercle, énormément
agrandie, notre maison la Terre,
au premier plan, devant le
Soleil et d'autres
planètes.

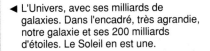

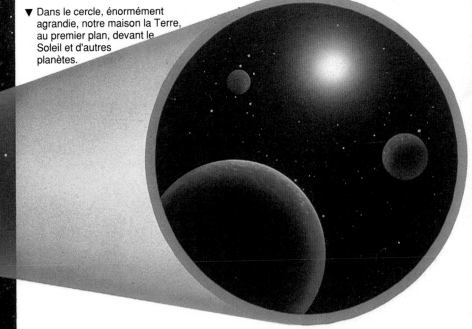

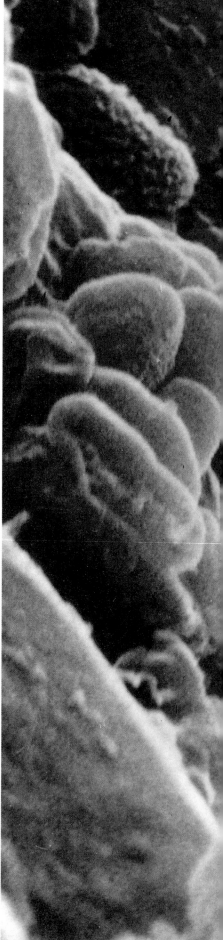

Quelles formes pourrait prendre la vie ?

La vie qui pourrait exister sur une planète lointaine du type de la Terre nous serait-elle familière ? Les habitants de cette planète ressembleraient-ils aux humains ?
Sûrement pas ! Regardez seulement le nombre d'espèces différentes qui peuplent notre globe. Comparez une baleine et un corbeau, une bactérie et un chêne.
Dans d'autres mondes, la vie prendrait des formes spécifiques adaptées à l'environnement local. Ces formes pourraient nous paraître superbes ou hideuses, mais de toute façon elles présenteraient pour nous un intérêt considérable.
L'étude de formes de vie radicalement différentes nous permettra certainement de mieux comprendre la nôtre et, au-delà, de mieux nous comprendre nous-mêmes.

▼ La recherche de la vie dans des conditions hostiles. Le lac Hoare au milieu des glaces de l'Antarctique. Les scientifiques étudient les lacs antarctiques pour se faire une idée du milieu naturel, autrefois, sur Mars.

► Des bactéries en forme de gélules qui poussent au voisinage de plantes que l'on appelle des lichens. Sont représentés dans l'encadré des filaments noirs, blancs et verts de lichens poussant dans les grès de l'Antarctique.

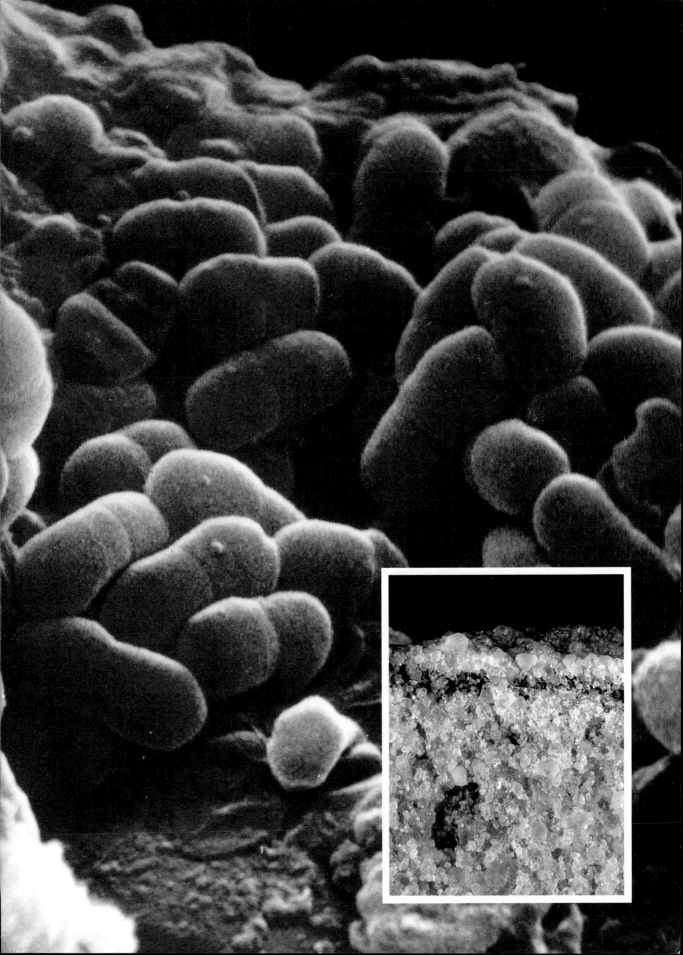

Sommes-nous vraiment seuls ?

Supposons qu'il y ait des vivants sur des planètes situées au voisinage d'autres étoiles que la nôtre. Comment envisager un voyage d'étude de ces formes de vie, quand on sait qu'une fusée actuelle, qui met quelques jours pour atteindre la Lune et quelques mois pour parvenir à Mars, aurait besoin d'un très grand nombre d'années pour arriver à proximité d'autres étoiles ?
Il est possible que soient construites dans le futur des fusées volant à 64 000 km à la seconde. Il leur faudrait cependant vingt ans pour atteindre l'étoile la plus proche de nous. Même en voyageant à la vitesse de la lumière (il n'est pas possible de se déplacer plus rapidement), il faudrait encore cent mille ans pour se rendre d'un bout à l'autre de notre Galaxie. Si donc la vie existe quelque part dans les profondeurs célestes, comment pouvons-nous la rejoindre ? Sommes-nous condamnés à demeurer isolés sur notre petite planète ?

1. L'étoile Bêta du Chevalier du Peintre est noyée dans un nuage de poussières et de gaz. Sur la photo, ce disque est coloré en rouge et en jaune, mais l'étoile elle-même demeure invisible. Les spécialistes sont d'avis que les poussières et les gaz sont en train de se condenser en planètes, qui formeront un nouveau système solaire autour de l'étoile.

2. L'adieu à la Terre.
Un vaisseau interstellaire quitte l'orbite de la Terre pour commencer son long cheminement vers les étoiles.

▶ Un vaisseau venu de la Terre survole sa destination : le système planétaire d'une étoile lointaine.

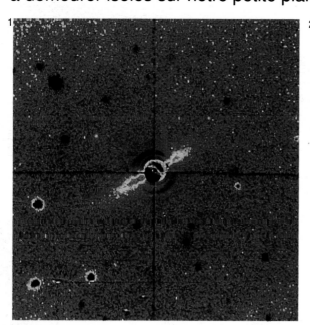

La dimension
cosmique des civilisations

S'approcher d'une autre étoile n'est pas une
affaire de semaines, de mois, ni même d'années.
Mais supposons que nous prenions notre
temps. Le temps de construire de gigantesques
engins où pourraient embarquer cent mille
personnes pour des voyages durant des milliers
d'années. L'un de ces vaisseaux pourrait
voguer vers une planète distante tandis que
les autres mettraient le cap sur d'autres planètes.
Le champ d'action de l'humanité déborderait
ainsi de plus en plus largement dans l'espace
interstellaire, et les chances augmenteraient de
découvrir de nouvelles formes de vie. Certes,
les différentes colonies humaines auraient
du mal à communiquer les unes avec les autres,
et chacune se développerait séparément,
conservant le souvenir lointain de
sa Terre d'origine, en attendant, qui sait,
de l'oublier totalement un jour.
Nos descendants seraient alors
des extraterrestres pour d'autres civilisations
du cosmos. Et peut-être même les uns pour
les autres, dans le cas où leurs routes
viendraient à se croiser.

! **De la place à revendre**

Notre Galaxie est assez vaste pour abriter des millions de colonies, chacune au voisinage d'une étoile différente. Et il existe bien d'autres galaxies. On en trouve d'abord trois petites, appelées les Nuages de Magellan, à quelque 150 000 années-lumière de nous. La grande galaxie la plus proche est celle d'Andromède, plus étendue même que la nôtre, dont elle est éloignée de 2 300 000 années-lumière. Les plus lointaines que nous connaissions seraient à 17 milliards d'années-lumière. Nous n'en finirons jamais de découvrir l'Univers.

▶ Après des siècles de voyage, un vaisseau terrien et ses habitants se préparent à aborder un monde inconnu.

Quelques repères

Une vie mal connue à quelques pas de nous

Jusqu'à présent, nous n'avons pas découvert de vie sur les autres planètes. Cela signifie-t-il qu'elles sont inhabitées ? Tant que nous n'avons pas repéré de vie dans un endroit quelconque, qu'il s'agisse d'une planète distante ou de la maison du voisin, nous pouvons toujours penser que cet endroit est désert. Mais nous serions étonnés de voir que les maisons inhabitées grouillent en fait de vie, même si cette vie n'apparaît pas au premier coup d'œil. Beaucoup de

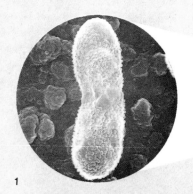

1

ces formes de vie peuvent nous sembler insolites, et elles affrontent des conditions que nous qualifierions d'hostiles. Les photos et la liste qui figurent sur cette double page visent à nous donner une première idée de ces formes insoupçonnées de vie. Se pourrait-il que, telle cette maison «inhabitée», d'autres planètes ont vu éclore dans des conditions difficiles des formes insolites de vie qu'il nous reste encore à découvrir ?

Ce que recèlent les recoins des maisons dites «inhabitées».

1. Certaines formes de vie ne peuvent se développer que dans des milieux qui tuent les autres vivants, y compris les humains. Cette bactérie, par exemple, exige un environnement dépourvu d'air !

2. Certaines bactéries vont se loger dans des enveloppes dures, qui les protègent contre un environnement hostile.

2

8

8. Les puces n'ont pas forcément besoin d'un chien. Elles aiment bien les poils, les crottes d'animaux et les paillassons sales.

3. Les moisissures pénètrent même dans l'intérieur des murs, où elles trouvent l'obscurité et l'humidité qui leur conviennent si bien.

4. Les vents transportent les spores des fougères dans presque toutes les régions du globe, des forêts vierges des zones tropicales jusqu'aux alentours du cercle Polaire.

5. Les acariens se nourrissent des rembourrages des meubles, de la colle des papiers peints et des minuscules lambeaux de peau que nous perdons à chaque instant. Dans un grand lit, il s'en niche jusqu'à deux millions !

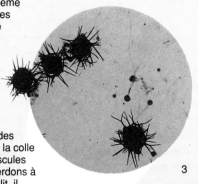

3

4

5

6

7. Les moisissures se développent dans les lieux humides et obscurs, sur les murs des caves, entre autres. Elles se propagent sous la forme de minuscules spores qui peuvent voyager pendant des mois.

7

6. La moisissure du pain possède de longs tentacules, qu'elle plonge dans les vieux croûtons pour en extraire les sucres, l'amidon et l'eau.

Que lire, que visiter, où se renseigner ?

Si vous voulez vous préparer à accueillir dignement des visiteurs venus d'ailleurs,

Lisez :
- *A la recherche des extra-terrestres*, de J.Cl. Ribes et J.Edman, chez Nathan que vous consulterez dans une bibliothèque ou demanderez à votre libraire.

Allez visiter :
en France :
- le palais de la Découverte, à Paris, Grand Palais, métro Franklin-D.-Roosevelt ou Champs-Élysées Clemenceau ;
- la Cité des Sciences et de l'Industrie de la Villette, à Paris, métro Porte de la Villette ;
- l'observatoire le plus proche de votre localité. Pour connaître son adresse, écrivez à l'Observatoire de Paris, 61, avenue de l'Observatoire, 75014 Paris.

Et, si vous habitez le **Canada** :
- Planétorium Dow 1000 ouest, rue St-Jacques Montréal, Qc H3C 1G7 ;
- Ontario Science Centre, 770, Down Mills Road Toronto, Ontario M3C 1T3 ;
- Royal Ontario Museum, 100, Queen Park, Toronto, Ontario M5S 2C6 ;
- National Museum of Natural Sciences, Coin McLeod et Metcalfe Ottawa, Ontario K1P 6P4 ;

Si vous voulez connaître les **clubs d'astronomie** de votre région, adressez-vous aux associations suivantes :

en France :
- Association française d'astronomie, tél. (1) 45 89 81 44 ;
- Société astronomique de France , tél. (1) 42 24 13 74 ;

en Belgique :
- Cercle astronomique de Bruxelles (CAB), 43, rue du Coq, 1180 Bruxelles;
- Société astronomique de Liège (SAL) Institut d'astrophysique, Avenue de Cointe 5 4200 Cointe-Liège, tél. 041/52 99 80 ;
- Société royale belge d'astronomie, de météorologie et de physique du globe (SRBA) Observatoire royal de Belgique, Avenue Circulaire 3 1180 Bruxelles tél . 2/373 02 53

en Suisse :
- Société astronomique de Suisse (SAS), Hirtenhofstrasse 9, 6006 Lucerne ;
- Société vaudoise d'astronomie (SVA), chemin de Pierrefleur 22, 1004 Lausanne ;

au Québec :
- Société astronomique de Montréal, tél. (514) 453 0752.

Regardez :
Les émissions du Club ASTRONAUTE, sur FR3. Pour les horaires : Tél : (1) 46 22 52 72 Ce club vous est également accessible par Minitel : 3615, code FR3 AST.

Ecrivez :
- à l'Association française d'astronomie, 17 rue Émile-Deutsch-de-La-Meurthe, 75014 Paris. Vous pouvez également expédier votre demande de renseignement à la boîte aux lettres du service SOSASTRO de l'Association française d'astronomie en faisant sur Minitel 3615, code AFA, puis en choisissant le service « Astronef » ;
- à la Société astronomique de France (SFA), 3, rue Beethoven, 75016 Paris.

Lexique

Astronomes :
Savants qui étudient les corps célestes, ou astres.

Atome :
Plus petit composant isolable d'un corps simple. A l'état normal, les atomes se groupent en molécules

Azote :
Gaz qui forme les quatre cinquièmes de l'atmosphère terrestre.

Bactéries :
Formes les plus élémentaires de la vie sur Terre, distinctes aussi bien des végétaux que des animaux. Elles jouent un rôle extrêmement important dans le fonctionnement de tous les autres organismes vivants.

Carbone :
Elément susceptible de combinaisons chimiques très variées. Avec l'oxygène, l'hydrogène et l'azote, il est à la base de la plupart des molécules qui constituent la matière vivante. On le rencontre aussi dans tous les combustibles fossiles : pétrole, houille, gaz combustible.

Cellule :
Stade élémentaire de l'organisation de la matière vivante. Tous les êtres vivants sont composés de cellules, et une cellule ne peut être divisée en composants vivants plus petits.

Galaxie :
Vaste ensemble d'étoiles, d'astres accompagnant ces étoiles, de gaz et de poussières.

Gaz carbonique :
Gaz lourd et incolore, résultant de la combustion du carbone. L'homme et les animaux dégagent du gaz carbonique quand ils respirent.

Graviter :
Un astre plus léger gravite autour d'un autre plus lourd quand il est obligé de tourner autour de lui par sa force d'attraction.

Hélium :
Gaz léger, incolore, l'un des principaux produits de l'activité des étoiles.

Hydrogène :
Gaz incolore et sans odeur, le plus simple et le plus léger de tous les éléments. Les étoiles sont composées aux trois quarts d'hydrogène.

Molécule :
Plus petite partie de n'importe quelle substance (gaz, métal, matière vivante ou synthétique) qui puisse exister à l'état libre. Les molécules des corps simples sont formées de plusieurs atomes identiques, et celles des corps composés, de plusieurs atomes différents.

Ondes radio (ou radioélectriques) :
Rayonnement d'énergie sur une longueur d'onde supérieure à celle de la lumière visible, et qui ne peut donc être capté que grâce à un récepteur radio.

Oxygène :
Gaz très actif, qui se combine facilement à de nombreux autres corps. Élément le plus répandu sur la Terre, absolument indispensable à la survie des hommes et des animaux.

Ozone :
Dans les hautes couches de l'atmosphère, l'ozone (forme particulière de l'oxygène) joue un grand rôle dans la protection de la Terre contre certains rayonnements.

Planète :
Corps céleste tournant autour du Soleil. La Terre, la plus proche, en est une.

Pluton :
Planète du système solaire la plus petite et la plus éloignée du Soleil.

Sondes spatiales :
Satellites qui voyagent dans l'espace, photographient les corps célestes et se posent même sur certains d'entre eux.

Spectre :
Image obtenue en séparant les différentes couleurs qui composent un rayonnement lumineux et dont chacune correspond à une longueur d'onde différente.

Supernova (au pluriel : des supernovae) :
Etoile massive au moment de l'explosion extrêmement violente qui met fin à son existence.

Synthèse organique :
Formation à partir d'atomes ou de molécules simples des molécules complexes qui composent la matière vivante.

Viking 1 et 2 :
Sondes spatiales lancées en 1975 en direction de Mars.

Voyager :
Nom de plusieurs sondes américaines d'exploration des planètes éloignées. Une fois leur mission remplies, elles ont franchi les limites du système solaire.

Isaac Asimov

Né en 1920 en Russie, Isaac Asimov a suivi très jeune ses parents aux États-Unis, où il a fait des études de biochimie avant de devenir l'un des écrivains les plus féconds de notre siècle. On lui doit plus de quatre cents titres publiés dans des domaines aussi différents que la science, l'histoire, la théorie du langage, les romans fantastiques et de science-fiction. Sa brillante imagination et sa vaste érudition ont su lui gagner l'attachement de ses lecteurs, enfants comme adultes. Il a obtenu le prix Hugo de la science-fiction et le prix Westinghouse de l'Association américaine attribué à des ouvrages scientifiques. Il est surprenant de constater que de nombreuses anticipations d'Isaac Asimov se sont révélées prémonitoires. Et c'est là une des raisons de l'attrait qu'exercent ses textes.

Isaac Asimov a déjà beaucoup écrit pour les jeunes et son intérêt pour la littérature de jeunesse ne fait que croître avec les années. Passionné à traquer le savoir, il cherche à faire partager ses découvertes, à les redire avec ses mots à lui, en les rendant plus accessibles, plus facilement compréhensibles. Il possède de remarquables talents de pédagogue : sa plume, quand il traite de la science, est animée d'un tel enthousiasme pour son sujet qu'on ne peut s'empêcher de le partager. Mais Isaac Asimov ne se contente pas de transmettre des connaissances, il est profondément préoccupé par les conséquences que peut avoir la science sur le destin de l'homme.

" Mon message, c'est que vous vous souveniez toujours que la science, si elle est bien orientée, est capable de résoudre les graves problèmes qui se posent à nous aujourd'hui. Et qu'elle peut aussi bien, si l'on en fait un mauvais usage, anéantir l'humanité. La mission des jeunes, c'est d'acquérir les connaissances qui leur permettront de peser sur l'utilisation qui en est faite."

Isaac Asimov

Titres parus :

Les astéroïdes
Les comètes
ont-elles tué les dinosaures ?
Fusées, satellites et sondes spatiales
Guide pour observer le ciel
La Lune
Mars, notre mystérieuse voisine
Notre système solaire
Notre Voie lactée
et les autres galaxies
Pulsars, quasars et trous noirs
Saturne et sa parure d'anneaux
Le Soleil
Uranus : la planète couchée
La Terre : notre base de départ
Y a-t-il de la vie
sur les autres planètes ?
Comment est né l'Univers ?
Mercure : la planète rapide

A paraître :

Les objets volants non identifiés
Les astronomes d'autrefois
Vie et mort des étoiles
Jupiter : la géante tachetée
Science-fiction et faits de science
Les déchets cosmiques
Pluton : une planète double
La colonisation
des planètes et des étoiles
Comètes et météores
La mythologie et l'Univers
Vols spatiaux habités
Neptune : la planète glacée
Vénus : un mystère bien enveloppé
Les programmes
spatiaux dans le monde
L'astronomie aujourd'hui
Le génie astronomique

La Bibliothèque de l'Univers

On comprend qu'avec de telles préoccupations, Isaac Asimov ait été amené à s'intéresser à l'espace, où se trouvent les clés de l'apparition et du maintien de la vie sur la Terre. Le cosmos a tout particulièrement inspiré les œuvres d'imagination d'Asimov, mais ce dernier lui a également consacré des études d'un niveau élevé.

Et voici que maintenant, Isaac Asimov s'est attelé à la rédaction d'une véritable Bibliothèque de l'Univers, source d'informations unique en son genre, qui englobe à la fois le passé, le présent et l'avenir. Pendant des mois de préparation, l'auteur s'est interrogé sur ce que sera l'espace quand nos enfants auront grandi. Ils seront témoins de l'établissement d'une station spatiale, de la lente mise en route d'exploitations minières sur le sol de la Lune. Ils suivront peut-être le vol d'une équipe mixte USA/URSS vers Mars.

La passion d'Asimov à «enseigner l'espace» n'est pas une fin en soi. *«Plus il y aura d'êtres humains captivés par la science, écrit-il, et plus notre société sera en sécurité.»*

Aubin Imprimeur Ligugé, Poitiers — 9-1990 — Dépôt légal : octobre 1990 — N° d'édition 16455 — N° d'impression P 35860 — ISBN : 2-08-161459-6 — ISSN 1147-288-X

Isaac Asimov

y a-t-il
de la vie
sur les autres
planètes?